Un zeste de

Zen

Pensées, proverbes
et citations inspirantes

Dépôt légal : 1er trimestre 2010
Bibliothèque nationale et Archives du Québec
Bibliothèque nationale du Canada

© Éditions Coup d'œil

Conception graphique : Marie-Claude Parenteau

Imprimé en Chine

ISBN : 978-2-89638-559-1

Un zeste de

Zen

Pensées, proverbes
et citations inspirantes

Les Éditions
Coup d'œil

Le monde **fleurit** par ceux
qui cèdent à la tentation.

Julien Gracq

La victoire sur **soi** est la plus grande des victoires.

Platon

La source du vrai **bonheur** est en nous,
et il ne dépend pas des hommes
de rendre vraiment misérable celui
qui sait vouloir être heureux.

Jean-Jacques Rousseau

Le problème des hommes, c'est qu'ils négligent leur propre **champ** pour aller ensemencer celui des autres.

Confucius

Le **cœur** a ses raisons que
la raison ne connaît point.

Blaise Pascal

Il est doux d'être aimé pour **soi-même**.

Beaumarchais

soi-même

Le **désert** n'ayant pas donné de concurrent au sable, grande est la paix du désert.

Henri Michaux

On voit les **qualités** de loin
et les **défauts** de près.

Victor Hugo

La **bonté** est la meilleure source
de clairvoyance **spirituelle**.

Miguel de Unamuno

Qui vit d'**espoir**
meurt de **désir**.

Proverbe italien

Chacun, parce qu'il pense, est seul responsable
de la sagesse ou de la folie de sa vie,
c'est-à-dire de sa **destinée**.

Platon

L'**amour** est un je-ne-sais-quoi qui vient de je-ne-sais-où et qui finit je-ne-sais-comment.

Mademoiselle de Scudéry

La **magie** du premier amour,
c'est d'ignorer qu'il puisse finir un jour.

Benjamin Disraeli

Si vous êtes **patient** un jour de colère,
vous échapperez à cent jours de chagrin.

Proverbe chinois

Notre plus grande **gloire** n'est point de tomber,
mais de savoir nous relever chaque fois
que nous tombons.

Confucius

Un **idéal** n'a aucune valeur
si vous ne pouvez pas le mettre en pratique.

Swâmi Râmdâs

La **raison** veut décider de ce qui est juste ;
la colère veut qu'on trouve juste ce qu'elle a décidé.

Sénèque

Les hommes construisent
trop de murs et pas assez de **ponts**.

Isaac Newton

Le commencement est beaucoup plus
que la moitié de l'**objectif**.

Aristote

On ne doit se résigner qu'au **bonheur**.

Alfred Capus

Bonheur

Quand le cœur est chaud,
on n'a pas **froid** au corps.

Lao She

Au-dessus des **nuages**,

le ciel est toujours bleu.

Leslie Walton

La vie est une **fleur**. L'amour en est le miel.

Victor Hugo

Le **soleil** ne se lève que pour celui qui va à sa rencontre.

Henri Le Saux

Nous sommes ce que nous **pensons**.
Tout ce que nous sommes résulte de nos **pensées**.
Avec nos **pensées**, nous bâtissons notre monde.

Bouddha

La **vie** devient une chose délicieuse, aussitôt qu'on décide de ne plus la prendre au sérieux.

Henry de Montherlant

Aimer

Aimer, ce n'est pas se regarder l'un l'autre,
c'est regarder ensemble dans la même direction.

Antoine de Saint-Exupéry

L'amour ne se voit pas avec les yeux, mais avec l'**âme**.

Shakespeare

Bien des gens acceptent de faire de **grandes choses**.

Peu se contentent de faire de **petites choses** au quotidien.

Mère Teresa

L'amour est la seule **passion** qui se paye
d'une monnaie qu'elle fabrique elle-même.

Stendhal

En art comme en **amour**, l'instinct suffit.

Anatole France

Amour

Quand nous aimons, nous sommes l'**univers** et l'univers vit en nous.

Octave Pirmez

Si la vérité est amère, ses **fruits** sont doux.

Hazrat Ali

C'est parfois d'une situation désespérée
que jaillit l'**espoir**.

Lao Tseu

Le **bonheur**, c'est de continuer
à désirer ce qu'on possède.

Saint Augustin

L'amour d'un **père** est plus haut que la montagne.
L'amour d'une **mère** est plus profond que l'océan.

Proverbe japonais

Amoureux

On ne sait jamais pourquoi
on tombe **amoureux** de quelqu'un :
c'est même à cela qu'on reconnaît qu'on aime.

Francis de Croisset

Il y a autant de **générosité**
à recevoir qu'à donner.

Julien Green

La modestie est quelquefois hypocrite
et la **simplicité** ne l'est jamais.

Jean le Rond d'Alembert

L'homme est malheureux
parce qu'il ne sait pas
qu'il est **heureux**.

Fiodor Dostoïevski

Le **secret** du bonheur en amour, ce n'est
pas d'être aveugle mais de savoir fermer
les yeux quand il le faut.

Simone Signoret

Secret

Bonté

La **bonté** est un amour gratuit.

Henri Lacordaire

Dans un **couple**,
il ne suffit pas de parler,
encore faut-il s'entendre.

Jean-Paul Dubois

Il n'y a pas d'enthousiasme sans **sagesse**
ni de sagesse sans générosité.

Paul Éluard

Choisissez un **travail** que vous aimez
et vous n'aurez pas à travailler un seul jour de votre vie.

Confucius

La vie de l'homme dépend de sa **volonté** ;

sans volonté, elle serait abandonnée au **hasard**.

Confucius

Le **savoir** est de beaucoup la portion
la plus considérable du bonheur.

Sophocle

Un homme sans **défauts**
est une montagne
sans crevasses.
Il ne m'intéresse pas.

René Char

La **conscience** d'avoir bien agi est une récompense en soi.

Sénèque

Un jour de **loisirs**, c'est un jour d'immortalité.

Proverbe chinois

Le plus grand secret
pour le **bonheur**, c'est
d'être bien avec soi.

Bernard Fontenelle

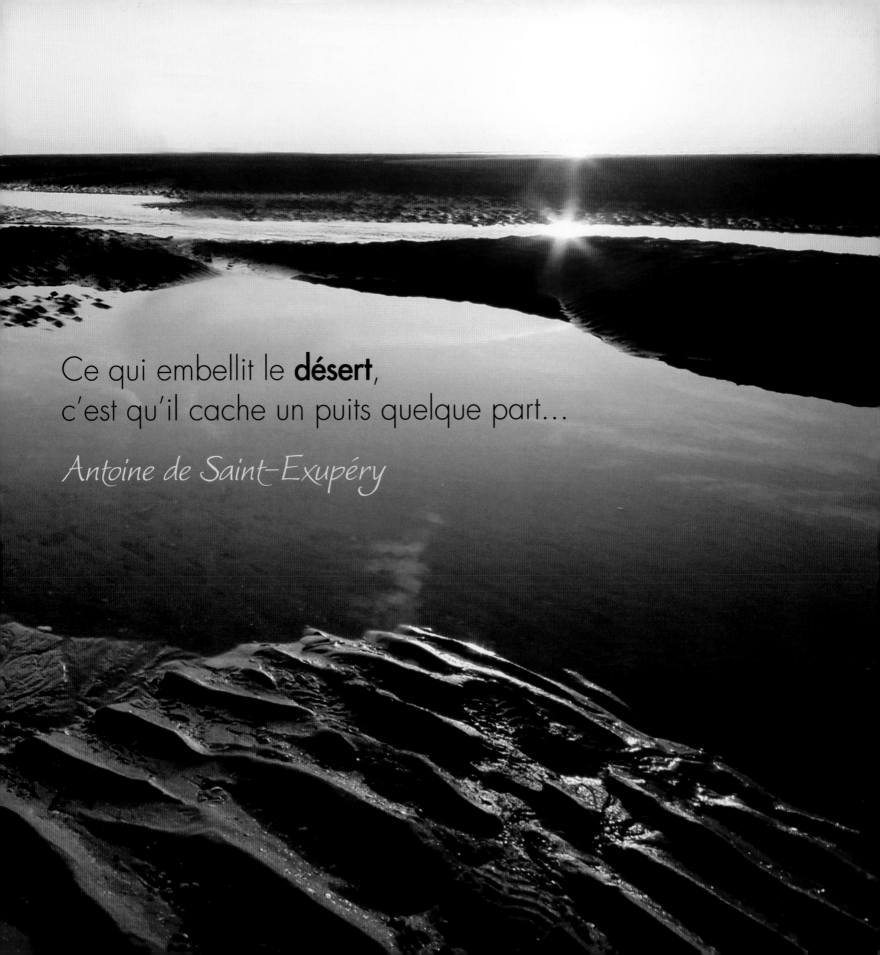

Ce qui embellit le **désert**,
c'est qu'il cache un puits quelque part…

Antoine de Saint-Exupéry

Bonheur

Le **bonheur** est quelque chose
qui se multiplie quand il se divise.

Paulo Coelho

On n'est jamais si **heureux**
ni si malheureux qu'on s'imagine.

La Rochefoucauld

heureux

Vivre sans **espoir**, c'est cesser de vivre.

Fiodor Dostoïevski

Quand on donne un **baiser** à quelqu'un,
c'est qu'on avait envie d'être embrassé soi-même !

Sacha Guitry

Le sage a **honte** de ses défauts,

mais n'a pas **honte** de s'en corriger.

Confucius

Vous ne toucherez point un papillon
sans faire tomber la poudre qui colore
ses ailes ; vous n'analyserez point l'**amour**
sans en faire évanouir le charme.

Octave Pirmez

Ce qu'on aime dans la **bonté**, ce n'est pas le prix qu'elle coûte, c'est le bien qu'elle fait.

Anatole France

Chaque miette de vie doit
servir à conquérir la **dignité** !

Fatou Diome

La première clé de la grandeur est d'être
en réalité ce que nous semblons être.

Socrate

Tous les hommes font la même erreur,
de s'imaginer que **bonheur** veut dire que
tous les vœux se réalisent.

Léon Tolstoï

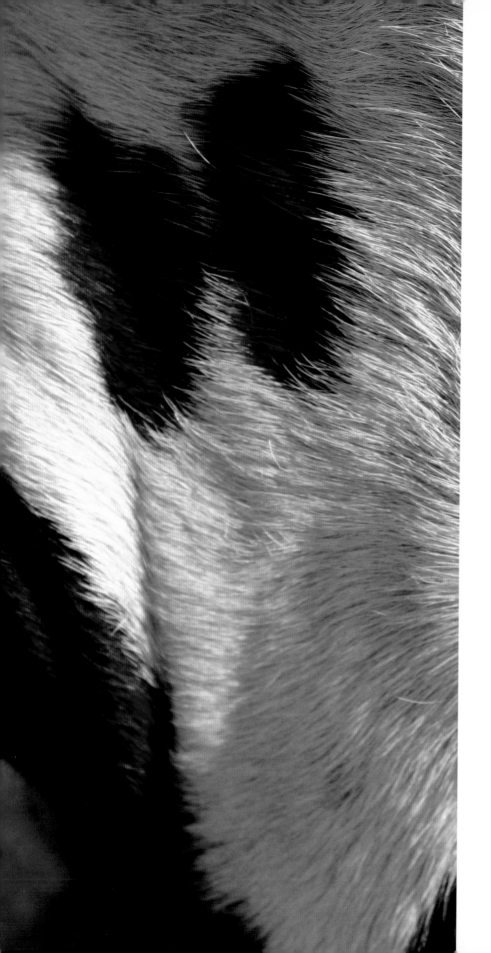

Il n'y a point de
bonheur sans **courage**
ni de vertu sans combat.

Jean-Jacques Rousseau

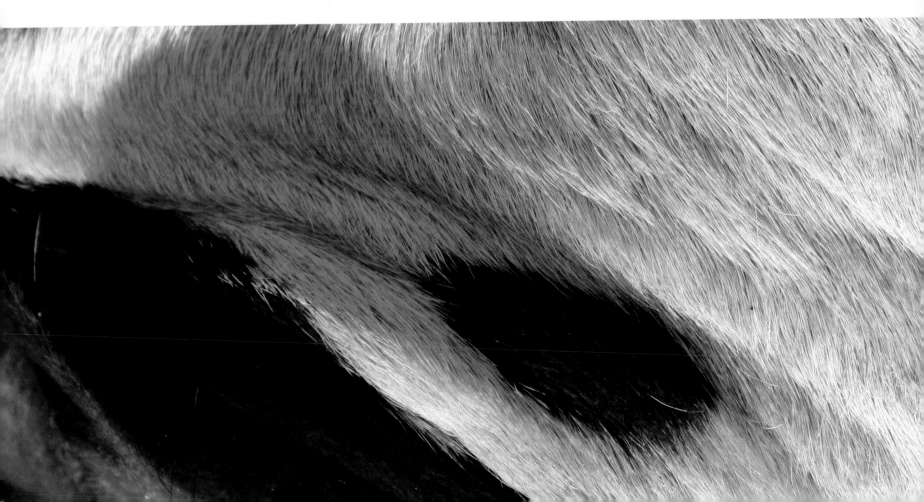

Le bonheur est la plus grande des **conquêtes**, celle qu'on fait contre le destin qui nous est imposé.

Albert Camus

Le **bonheur,** quel qu'il soit,
apporte air, lumière et
liberté de mouvement.

Friedrich Nietzsche

Celui qui cache sa **générosité**
est doublement généreux.

José Narosky

générosité

séduction

La meilleure **séduction** est de n'en employer aucune.

Charles Jospeh, prince de Ligne

La **colère** boit elle-même
la plus grande partie de son venin.

Sénèque

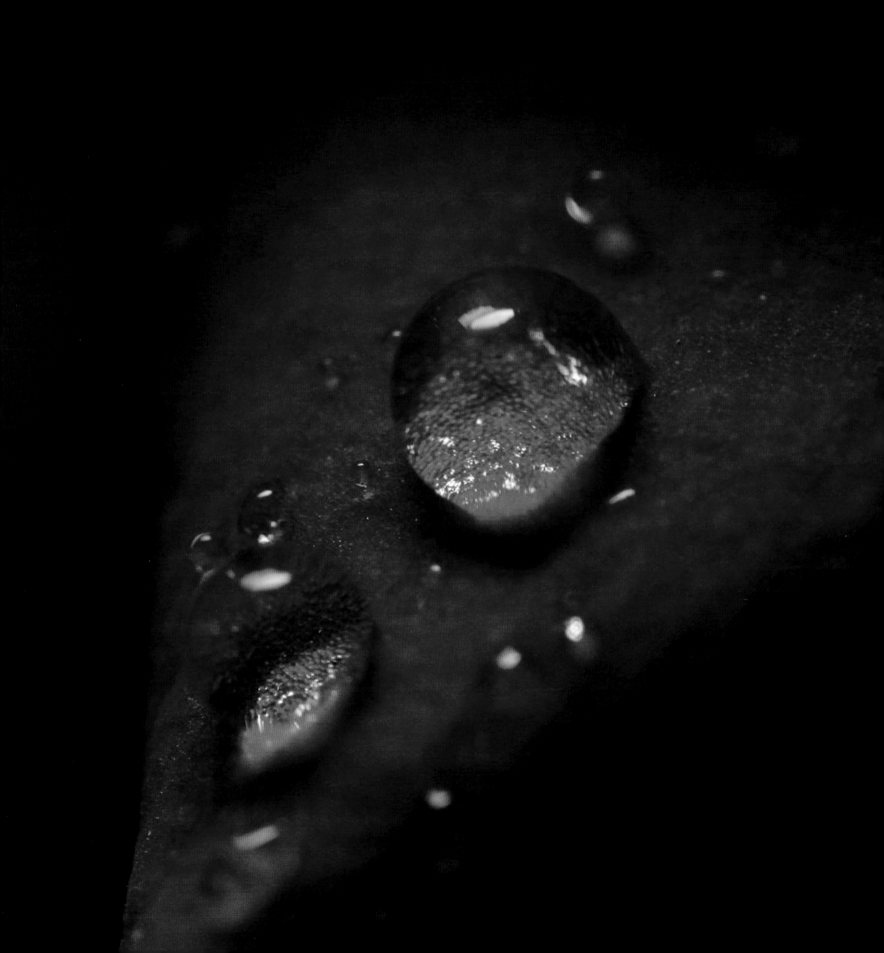

Il n'y a rien de pire que l'**amour** sauf de ne pas aimer.

Jean-Jacques Goldman

Nous tissons notre **destin**,
nous le tirons de nous
comme l'araignée sa toile.

François Mauriac

L'amour, c'est d'abord aimer follement **l'odeur** de l'autre.

Pascal Quignard

Le bonheur n'a point d'enseigne extérieure ;
pour le connaître, il faudrait lire dans le cœur
de l'**homme heureux**.

Jean-Jacques Rousseau

Sourire

Le **sourire** est le baiser de l'âme.

Michel Bouthot

Quand tu es arrivé au sommet de la **montagne**, continue de grimper.

Proverbe chinois

Il vaut mieux avoir vécu vingt-cinq jours comme un **tigre** qu'un millénaire comme un mouton.

Proverbe tibétain

La **mort** est douce : elle nous délivre de la pensée de la mort.

Jules Renard

Il est bien des choses qui ne paraissent impossibles que tant qu'on ne les a pas tentées.

André Gide

Il faut **aimer** au-dessus de ses moyens.

Jacques de Bourbon Busset

Juge

On **juge** l'arbre à ses fruits.

Saint Matthieu

Amitié

La véritable **amitié** ne gèle pas en hiver.

Proverbe allemand

La **fantaisie** est
un perpétuel printemps.

Johann Friedrich von Schiller

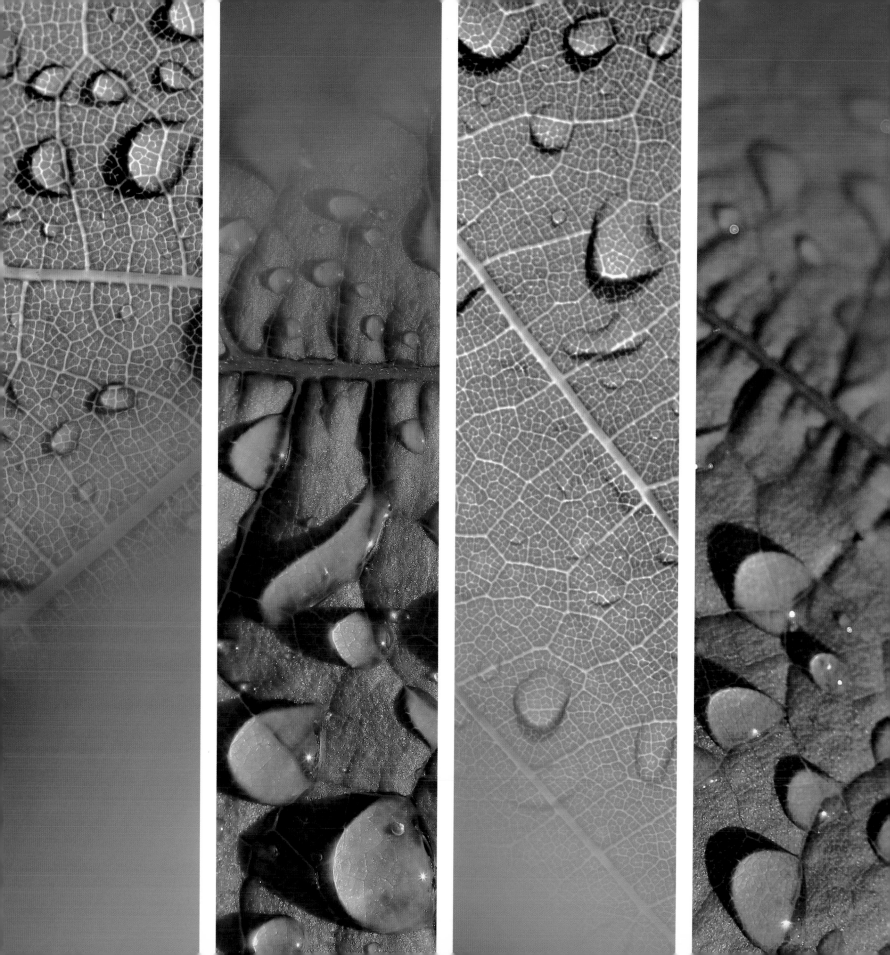

Les relations sont sûrement le miroir
dans lequel on se **découvre** soi-même.

Jiddu Krishnamurti

Rien n'assure mieux le repos du cœur
que le travail de l'**esprit**.

Duc de Lévis

À quoi bon **soulever** des montagnes quand il est si simple de passer par-dessus?

Boris Vian

soulever

Bonheur

Il ne faut pas de tout pour faire un monde.
Il faut du **bonheur**, et rien d'autre.

Paul Éluard

temps

L'amour fait passer le **temps**,
le temps fait passer l'amour.

Proverbe italien

Pour **bien faire**, mille jours ne sont pas suffisants,
pour faire mal, un jour suffit amplement.

Proverbe chinois

Nulle pierre ne peut être polie sans friction,
nul homme ne peut parfaire son **expérience** sans épreuve.

Confucius

On nomme **amoureux**
celui qui, en courant
sur la neige,

ne laisse point de traces
de ses pas.

Proverbe turc

Les gens **heureux** n'ont pas besoin de se presser.

Proverbe chinois

Connaître son **ignorance** est la meilleure part de la **connaissance**.

Proverbe chinois

Le blé et la **reconnaissance**
ne poussent qu'en bonne terre.

Proverbe allemand

Il y a deux sortes de gens :
ceux qui peuvent être **heureux** et ne le sont pas,
et ceux qui cherchent le **bonheur** sans le trouver.

Proverbe arabe

Idées

Les **idées** sont les racines de la création.

Ernest Dimnet

Le **destin** c'est simplement
la forme accélérée du temps.

Jean Giraudoux

Tout est changement, non pour ne plus être mais pour **devenir** ce qui n'est pas encore.

Épictète

Si vous avez **confiance** en vous-même,
vous inspirerez confiance aux autres.

Johann Wolfgang von Goethe

La **mer** est aussi profonde dans le calme que dans la tempête.

John Donne

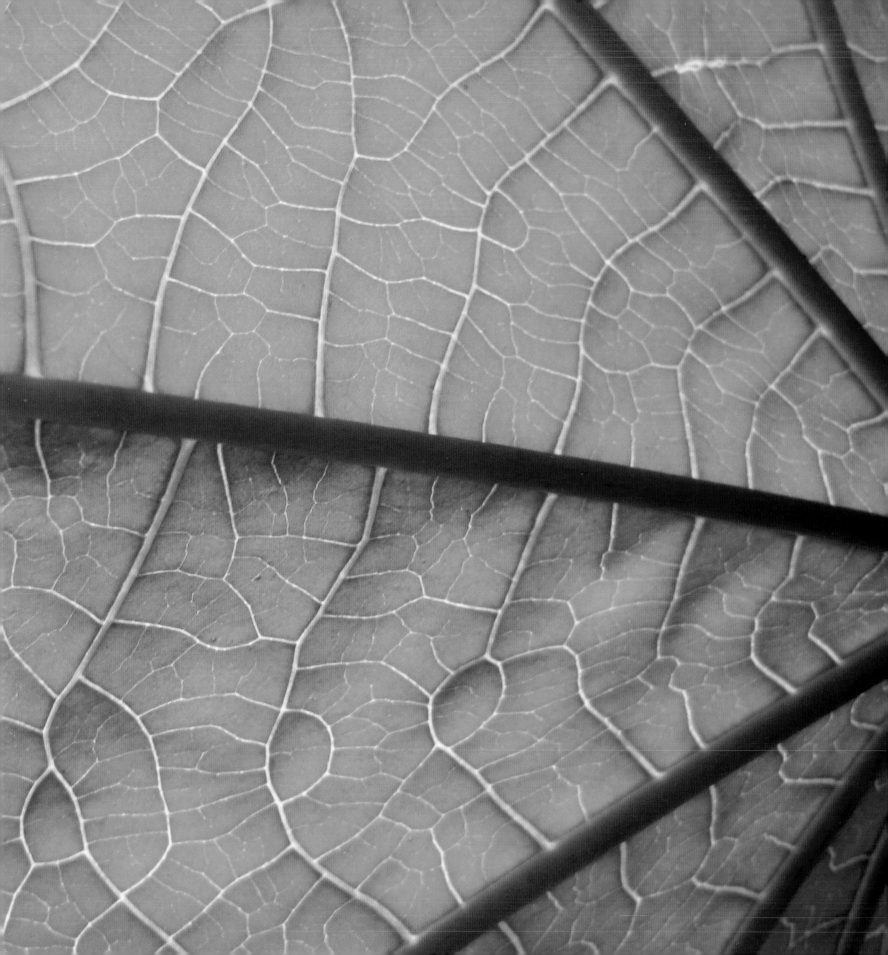